Princesse Zélina

Panique à Obéron !

Bruno Muscat

Tout petit, il adorait se déguiser en chevalier et sauver les princesses avec son épée en plastique. Trente ans plus tard, Bruno Muscat est journaliste à *Astrapi*. Raconter des histoires est devenu son métier, et les châteaux forts le font toujours autant rêver.

Édith est illustratrice. Elle est connue depuis 1990, quand elle a publié la série *Basile et Victoria*, qui a reçu l'Alph-Art, un des plus prestigieux prix de bande dessinée français. Elle travaille aussi beaucoup avec les éditeurs jeunesse, tant sur des albums que sur des livres de fiction.

BRUNO MUSCAT • ÉDITH

Princesse Zélina

Panique à Obéron !

BAYARD POCHE

Prologue

Il n'est pas interdit d'être amoureuse quand on est une jolie princesse. Mais, lorsque l'élu de votre cœur est le fils de l'ennemi juré de votre père, voilà qui complique sérieusement les choses…
Zélina de Noordévie et Malik de Loftburg s'aiment tendrement. Mais ce bel amour saura-t-il vaincre les épreuves qui le menacent et les complots de la reine Mandragone, la belle-mère de Zélina ?

La terrible secousse

Minuit sonna à la grande horloge du beffroi d'Obéron.

« Déjà ? s'étonna Zélina. Je devrais peut-être aller me coucher, sinon je ne réussirai jamais à me réveiller demain… »

Un chien hurla dans le lointain. La jeune fille frissonna en reposant sa plume. La sinistre plainte s'évanouit enfin, et Zélina poussa un soupir, soulagée de se retrouver seule avec elle-même dans

le silence. Mais l'accalmie fut brève. Alors qu'elle s'apprêtait à refermer son journal intime, un effroyable grondement monta des entrailles du château. La princesse releva la tête, inquiète.

« Qu'est-ce que c'est que ce bruit ? »

Zélina sentit le sol onduler sous ses pieds, si violemment que sa chaise se renversa. Allongée sur le sol et protégée par son bureau, elle vit les murs de sa chambre danser autour d'elle. Cela ne dura que quelques dizaines de secondes, qui lui semblèrent des heures. Le plafond de la chambre s'effondra sur son lit, écrasant le baldaquin sous son poids en un énorme nuage de poussière. De grandes lézardes zébrèrent les murs, dont le plâtre vola en éclats. Une chance que la princesse ne se fût pas couchée plus tôt ce soir !

Le sol cessa de trembler et la poussière retomba. Zélina toussa. Mais que venait-il de se passer ? Se frayant un chemin entre les poutres et les briques explosées, la jeune fille rampa hors de ses apparte-

ments et se retrouva dans le couloir. Elle s'y redressa avec difficulté. Faisant le tour de ses muscles et de ses os les uns après les autres, la princesse constata avec plaisir qu'ils semblaient tous en état de marche. Soudain, l'angoisse la submergea : et les autres habitants du château ? En tendant l'oreille, elle entendit une voix appeler à l'aide.

– Ambre ?

– Au secours…

Les yeux de Zélina commençaient à s'habituer à l'obscurité. Elle enjamba les restes de la cloison.

– Où es-tu, Ambre ?

– Je ne sais pas… Il fait tout noir !

– Continue à me parler…

Au bout d'un long moment, Zélina retrouva Ambre sous son armoire. L'énorme meuble avait basculé sur elle alors qu'elle y cherchait une chemise de nuit. Heureusement, ses portes étaient grandes ouvertes, sans quoi la suivante aurait été écrasée comme une crêpe…

La princesse s'accroupit, glissa une planche sous le rebord et appuya de toutes ses forces.

– Ho… Hisse…

L'armoire pesait des tonnes, et Zélina dut s'y reprendre à trois fois. Mais elle réussit à délivrer sa malheureuse amie. Celle-ci était noyée dans une mer de tissus parfumés, plus choquée que blessée…

– Ça va, mon Ambre ?

– Je crois…

La princesse et sa suivante descendirent tant bien que mal le grand escalier encombré de gravats. L'intérieur du château avait été soufflé par l'énorme explosion, mais les murs de la solide bâtisse étaient restés debout. Dans la cour d'honneur, les jeunes filles retrouvèrent le roi Igor, qui serra Zélina dans ses bras :

– Dieu soit loué ! Tu es vivante, ma chérie !

Les occupants du château se comptèrent. Par miracle, la catastrophe n'avait fait aucun blessé. Mais quelle catastrophe, au fait ?

– C'est un tremblement de terre, s'écria le roi. Il vient de frapper Obéron, et je crains qu'il n'y ait beaucoup de victimes…

– Chut ! fit la reine Mandragone.

On entendit une rumeur confuse qui montait de la ville, faite de cris et d'appels au secours déchirants. Les estomacs se nouèrent. Igor se retourna vers son palefrenier :

– Je dois aider mon peuple… Sellez-moi un cheval, je descends à Obéron !

Alors qu'il mettait le pied à l'étrier, son regard se posa sur Mandragone et sur le prince Marcel :

– M'accompagnerez-vous, Madame ?

La reine et son fils se défilèrent lâchement. Le roi haussa les épaules et éperonna sa monture. Soudain, une voix décidée se fit entendre dans la nuit :

– Moi, je viens !

Zélina tendit la main à son père. Igor, un peu surpris, l'attrapa et hissa sa fille devant lui sur sa selle.

– Allons-y ! ordonna le souverain, bien loin de se douter que c'était pour rechercher son amoureux que la petite princesse partait à Obéron.

Premiers secours

$\mathcal{L}$orsqu'elle aperçut la ville, Zélina eut un choc terrible. La fière capitale n'était plus qu'un vaste champ de ruines. Des ombres hagardes erraient dans les décombres de la cité, la veille encore si animée et si insouciante.

De grosses larmes coulèrent sur les joues de la princesse. Bouleversée, la jeune Altesse ne chercha même pas à les retenir. Quel spectacle désolant…

– Il doit y avoir des milliers de blessés… Des morts aussi, sans doute, déclara Igor d'une voix lugubre.

À intervalles réguliers, le sol recommençait à frémir et à gronder, mais la présence du roi apaisa le vent de panique qui agitait les rescapés. Peu à peu, ces derniers convergèrent vers l'auguste souverain, comme pour chercher un peu de réconfort auprès de lui… Igor mit pied à terre et se mêla à la foule, pour partager l'immense détresse de son peuple. Il prit la parole, la voix brisée par l'émotion :

– Une horrible tragédie vient de nous frapper. Cette nuit, nous sommes tous meurtris au plus profond de nous-mêmes. Certains d'entre nous sont blessés dans leur chair, d'autres ont tout perdu… Mais nous n'avons pas le droit de céder au désespoir ! Nous qui avons par miracle échappé à la catastrophe avons le devoir sacré de nous unir pour porter secours à ceux qui sont encore ensevelis sous les décombres…

Un murmure d'approbation salua les propos du roi.

– À partir de cet instant, tout ce qu'Obéron

compte de bras valides, de pelles et de pioches est réquisitionné ! Il n'y a pas une minute à perdre… Quelqu'un parmi vous a-t-il des notions de médecine ?

Un homme voûté à la mine grave sortit des rangs :

— Je suis maître Ambroise, apothicaire et chirurgien…

— Maître Ambroise, si vous vous en sentez capable, je vous charge dès maintenant d'organiser les premiers secours.

Maître Ambroise acquiesça sobrement :

— Je ne pourrai jamais m'acquitter seul de cette tâche. J'aurais besoin de volontaires pour m'aider à mener à bien cette mission…

Chavirée par ce qu'elle venait de découvrir, Zélina leva le doigt sans hésiter.

– Toi, ma fille ? balbutia Igor. Tu es si jeune, et ce n'est pas la place d'une…

– Tu veux dire « la place d'une princesse » ? Au contraire, père, sa place est au milieu de son peuple, surtout lorsqu'il souffre !

Ne sachant trop que répondre, Igor se retourna vers maître Ambroise, espérant un soutien de sa part.

Mais la réponse de l'apothicaire fut enthousiaste :

– Toutes les bonnes volontés sont les bienvenues, votre Altesse !

Et le roi fut bien obligé de céder devant la farouche détermination de sa fille…

Zélina sauta à terre. Suivant l'exemple de leur princesse, de nombreux hommes et femmes se rassemblèrent autour de maître Ambroise.

Ce dernier réfléchit à haute voix :

– Il faut établir un hôpital de campagne. Mais où ? Il n'y a plus beaucoup de bâtiments debout, et ceux qui restent risquent de s'effondrer au moindre coup de vent...

– Et si nous installions des tentes sur le champ de foire, au bord de la rivière ? proposa Zélina. Ainsi, nous ne manquerions pas d'eau.

– C'est une très bonne idée, votre Altesse, mais nous n'avons pas de toile...

– Laissez-moi faire, Maître Ambroise, je me fais fort de vous en trouver !

La princesse courut vers son père et le força à se remettre en selle :

– Allez, vite, je dois remonter au château !

Les draps de satin
de Mandragone

Sitôt le pont-levis franchi, Zélina sauta à bas du cheval et balaya du regard la cour couverte d'éboulis. Le jour commençait à se lever.

– Ambre ? Où es-tu ?

La tête ébouriffée de sa demoiselle de compagnie émergea d'une meule de foin où, terrassée par ses émotions, elle s'était endormie.

– Mademoiselle, je suis désolée…, s'excusa-t-elle en baissant les yeux, honteuse de s'être assoupie

en un moment aussi dramatique.

– Ce n'est pas grave, Ambre… Tu vas avoir besoin de toutes tes forces !

La princesse entraîna son amie dans le château dévasté en lui expliquant ce qu'elle attendait d'elle.

– Il faut que tu m'aides à mettre la main sur le plus de tissus possible…

En un clin d'œil, rideaux, tentures et couvertures s'empilèrent dans une charrette, miraculeusement épargnée par l'effondrement des dépendances. Ce remue-ménage insolite intrigua la reine Mandragone, qui s'approcha de la carriole. Elle suffoqua en y découvrant les magnifiques tapisseries qui ornaient la salle à manger royale.

– Mais, Zélina… Que faites-vous ?

– Ces tapisseries feront une solide toile de tente ! Mandragone blêmit.

– Je… je vous ordonne de les remettre là où vous les avez prises !

– Non, belle-maman, c'est hors de question !

Les murs qu'elles décoraient tiennent à peine debout. Nous en avons besoin pour construire notre hôpital. Il y a des dizaines de blessés à Obéron !

Et la princesse disparut de nouveau dans le château sans se soucier des jérémiades de sa belle-mère. Lorsqu'elle revint, les bras chargés de draps, la reine manqua défaillir :

– Pas les draps en satin ! Vous ne pouvez pas donner mes draps en satin à ces gueux…

– Si, rétorqua Zélina, il nous faut des pansements !

Et les draps rejoignirent les tapisseries sur la charrette. Zélina et Ambre s'emparèrent des timons et les soulevèrent, plantant là Mandragone, qui écumait de rage.

– Zélina, vous… vous n'êtes qu'une insolente ! Mais… mais… pour qui vous prenez-vous ?

À quelques pas de là, le démon Belzékor assistait à cette scène pathétique en se curant le nez de son auriculaire pointu, il en retira une crotte, qu'il goba avec délice. Sa maîtresse avait bien tort de s'énerver ainsi. Les lèvres du nabot esquissèrent un sourire méchant. Au milieu de toutes ces pierres branlantes, un accident pouvait vite arriver, surtout si l'on donnait un coup de pouce au destin… Le démon ricana, regarda à droite et à gauche, puis se coula dans le buisson de laurier qui poussait par là. Trois minutes plus tard, un énorme rat au regard charbonneux se faufilait hors du buisson et se

fondait dans l'ombre de la princesse…

Les deux jeunes filles traînèrent la charrette jusqu'à Obéron. Alors qu'elles entraient dans la ville, leur attention fut attirée par un jappement désespéré qui provenait des vestiges d'une maison. Ambre et Zélina s'élancèrent vers les décombres. Au milieu des gravats, elles découvrirent un petit chien qui se débattait, affolé, la queue coincée sous une poutre…

– Le pauvre ! s'exclama Ambre.

– Aide-moi plutôt à le dégager, ordonna la princesse.

Les demoiselles s'arc-boutèrent sur la lourde poutre de chêne et réussirent à la faire pivoter. Enfin délivré, l'infortuné prisonnier fit une fête effrénée à ses libératrices. Après l'avoir caressé un instant, Ambre et Zélina tentèrent de reprendre leur chemin en laissant là le jeune chiot.

Celui-ci ne l'entendait pas de cette oreille, et

il refusa de les quitter.

– Petit chien, tu ne peux pas venir avec nous, le gronda Ambre.

Comment résister à une paire de grands yeux noirs implorants ? Zélina souleva l'adorable boule de poils et la posa sur les draps de satin :

– Maintenant, il va falloir te donner un nom… Que dirais-tu de Baraka ? Ça veut dire « chance » dans la langue de ma chère amie Yasmine, la fille du sultan d'Iskandar.

Baraka donna un grand coup de langue affectueux sur la joue de la princesse. Visiblement, ce coquin semblait apprécier son nouveau nom…

Lorsque la charrette déboucha enfin sur le champ de foire, des mâts y avaient été dressés. Avec l'aide de monsieur Pignon, le charpentier, et de monsieur Flanchet, le boucher, les deux amies tendirent les tapisseries sur cette charpente rudimentaire. Il était temps, car la pluie commençait à tomber.

Princesse et infirmière

Un jour humide et froid nimbait tristement la capitale ravagée. Les victimes affluaient au champ de foire, portées sur des civières de fortune par des voisins, certains encore vêtus d'une simple chemise de nuit. Ils étaient des dizaines, des centaines peut-être...

Zélina s'épongea le front. Même si la vision de toutes ces souffrances la bouleversait au plus profond d'elle-même, la princesse refusait de se laisser

submerger par ses états d'âme. Affectée à l'accueil des victimes, elle tentait du mieux qu'elle le pouvait de trouver une place à chaque blessé sous la grande tente improvisée, et de le faire patienter jusqu'à ce que maître Ambroise puisse enfin se consacrer à lui. Mais le chirurgien fut vite débordé.

– Je ne m'en sortirai jamais tout seul, se lamentait le vieil homme. Il y a tant de gens à soigner…

Son regard las croisa celui de Zélina.

– Altesse, j'ai besoin de votre aide !

La petite princesse écarquilla les yeux. Elle ne connaissait rien à l'art compliqué de soigner les gens ! Et puis, elle allait tourner de l'œil à la vue du sang, elle le savait… Maître Ambroise ne lui laissa pas le choix :

– Altesse, si vous le voulez bien, vous nettoierez les plaies et vous ferez les pansements pendant que j'opérerai les cas les plus graves.

Zélina acquiesça timidement. Elle ferait de son mieux… L'apothicaire se pencha sur une paillasse et lui montra comment s'occuper de la jambe

d'un malheureux estropié.

— Il faut d'abord laver soigneusement la plaie à l'eau et au savon. Puis vous la désinfectez avec un peu d'alcool, comme cela… Et enfin vous l'entourez d'une fine bandelette de drap, sans trop serrer.

Maître Ambroise épingla le pansement et se releva :

— Voilà. À vous, maintenant…

Peu rassurée, Zélina s'agenouilla à son tour à côté d'un brancard et elle soigna le bras abîmé d'une pauvre femme, sous l'œil critique du chirurgien.

– Ça va ? Je ne vous fais pas trop mal ? murmura-t-elle, inquiète.

Le visage de la dame s'illumina.

– Non, Princesse… Bien au contraire, vos mains sont très douces, et elles me font grand bien.

Maître Ambroise n'en croyait pas ses yeux. La jeune fille, adroite et appliquée, trouvait instinctivement les gestes les plus apaisants.

– Mais, Altesse… vous possédez un vrai don ! s'exclama-t-il, admiratif.

– Vous le pensez vraiment ?

s'étonna la princesse. J'ai juste essayé de faire du mieux que je le pouvais...

Soulagé, maître Ambroise posa sa main sur l'épaule de la jeune fille :

– En tout cas, je sais maintenant que je peux vous laisser seule et aller opérer en toute tranquillité !

Le chirurgien rejoignit la salle d'opération aménagée dans un coin de la tente. Zélina respira un grand coup. Elle prit son courage à deux mains et se remit au travail, tentant de trouver une place pour chacun, pansant les plaies et réconfortant les âmes de ces éclopés encore sous le choc d'avoir tout perdu... Secondée par sa chère Ambre et sa minuscule marraine, la fée Rosette, appelée à la rescousse, la fille du roi Igor se plongea à corps perdu dans sa tâche immense.

Au moins, pendant toutes ces heures, elle n'eut pas le loisir de se faire du mauvais sang pour son beau Malik...

De l'air... De l'air...

Zélina demandait à Ambre de lui couper de nouveaux pansements dans les draps de Mandragone lorsqu'une femme en pleurs fit irruption sous la tente. La princesse reconnut tout de suite madame Fougasse, dont le pain parfumait tous les jours si délicieusement Obéron. La solide boulangère serrait dans ses bras un adorable petit garçon aux cheveux blonds comme les blés.

– C'est mon fils Colin… On vient de le retirer des décombres, lâcha-t-elle entre deux sanglots.

La princesse se pencha sur l'enfant. Il lui sembla bien mal en point.

– Vite, Ambre, va chercher maître Ambroise, ordonna-t-elle à sa demoiselle de compagnie, tout en allongeant Colin sur une couverture.

– Faites quelque chose ! supplia madame Fougasse. On dirait qu'il ne respire plus…

Maître Ambroise ne fut pas long à venir. Il examina à son tour le garçonnet et posa son oreille sur sa poitrine. Puis il se redressa, l'air sombre.

– Hélas, c'est fini ! Je suis désolé, madame Fougasse. Soyez courageuse…

– Nooon !

Anéantie, la boulangère pressa le corps de son Colin contre elle. Bouleversée, la princesse Zélina jeta un regard implorant à sa marraine. La fée Rosette serra les lèvres. Elle aussi, à ce moment, avait envie de pleurer.

– Si au moins je pouvais lui donner un peu de mon souffle pour qu'il vive, balbutia Zélina.

Cette phrase provoqua un déclic dans le cerveau de la fée.

– Et si…

Rosette fit quelques pirouettes rageuses dans l'air, comme pour secouer ses neurones.

– Tu as raison ! finit-elle par s'écrier : donne-lui de ton souffle !

Zélina dévisagea sa marraine comme si cette dernière était devenue subitement folle.

– Mais… comment… Je ne peux pas respirer

à sa place, quand même !

La fée s'immobilisa devant le visage de sa filleule et lui expliqua :

– Aspire de l'air et souffle-le dans la bouche de Colin…

La princesse, perplexe, chercha le regard de la boulangère.

– Sauvez-le, Altesse, sanglota la femme. Je vous en prie…

L'apprentie infirmière remplit ses poumons

d'air frais et elle colla ses lèvres contre celles de Colin. Puis elle lui souffla dans la bouche... Rien ne se passa.

Rosette insista, sûre de son idée :

– Essaie encore... Et pince-lui le nez pour que l'air ne s'échappe pas !

Une fois de plus, Zélina inspira et souffla dans la gorge de Colin. Et encore, et encore... Au bout d'un long moment, Colin toussota et ouvrit les yeux, tout étonné de voir tant de gens penchés sur lui.

– Maman ?

– Mais, mais... Vous avez ramené cet enfant à la vie ! s'écria maître Ambroise, stupéfait.

Le vieil apothicaire rajusta son lorgnon :

– Mademoiselle, vous êtes une magicienne !

Zélina sourit, modeste :

– Ce n'est pas moi, la magicienne, c'est Rosette...

Avant qu'elle puisse terminer sa phrase, la princesse sentit qu'on l'arrachait du sol. C'était

madame Fougasse qui venait de la prendre dans ses bras pour la serrer contre son opulente poitrine :

– Je ne suis qu'une modeste boulangère, et jamais je ne pourrai vous remercier assez pour ce que vous avez fait !

Après que la boulangère l'eut reposée par terre, Zélina prit doucement ses mains dans les siennes :

– La meilleure façon de me remercier, madame Fougasse, c'est de rester avec nous. Vos deux bras ne seront pas de trop ici…

Une silhouette
dans le crépuscule

La princesse abandonna madame Fougasse et son fils pour retourner à ses blessés en réprimant un bâillement. Elle n'avait pas vu le temps passer. Depuis la secousse, les aiguilles de la pendule avaient entamé leur deuxième tour de cadran, et la fatigue commençait à se faire sentir.

Sa marraine, épuisée, dormait à poings fermés sur une pile de draps. La fille du roi Igor sourit et remonta le satin sur les minuscules épaules.

Rosette s'était tant donnée, en aidant chacun grâce à ses pouvoirs magiques ! La princesse aussi, d'ailleurs, aurait dû prendre quelques heures pour se reposer : mais il y avait encore tant à faire ! Zélina étira ses muscles douloureux et décida d'aller prendre l'air dehors.

En soulevant la toile, elle vit la file des blessés qui continuaient d'arriver sur le champ de foire. Ce crépuscule de printemps était bien triste et sombre… La princesse plongea un gobelet dans l'un des tonneaux qui servaient de citernes à l'hôpital et le porta à ses lèvres. L'eau glacée coula dans sa gorge en un flot bienfaisant.

– Mmm… que c'est bon !

Derrière les tonneaux, deux yeux charbonneux fixaient l'élégante demoiselle. Le gros rat démoniaque était aux anges : tout ce malheur et cette désolation qui frappait la capitale de la Noordévie le ravissaient ! Bien sûr, il n'avait pas encore eu l'occasion d'accomplir sa funeste besogne. Mais ce

moment tant attendu n'allait plus tarder, il le sentait au frémissement de ses longues moustaches…

La princesse renversa le fond du gobelet sur sa nuque et secoua ses longs cheveux bruns. Alors qu'elle s'essuyait le visage avec sa manche, son attention fut attirée par une silhouette familière qui portait une civière avec un autre homme. Dans la semi-pénombre, elle distinguait mal les traits du brancardier, mais son cœur ne pouvait lui mentir :

– Malik !

Zélina se précipita au cou du jeune homme.

Mais, lorsque celui-ci tourna la tête vers elle, elle constata que ce n'était pas son amoureux. Rouge de confusion, elle marmonna quelques mots d'excuse, se demandant où était son bel étudiant. Pourquoi ne lui avait-il donné aucun signe de vie ? Ce silence devenait très inquiétant…

Elle désigna l'homme allongé sur la civière :

– Qui est-ce ?

– C'est le propriétaire de la taverne du *Pichet d'argent*. On vient de le dégager de sa cave, où il était emprisonné.

Le *Pichet d'argent* ? Zélina eut du mal à maîtriser son émotion. C'était l'auberge où logeait son amoureux !

– Il ne reste plus rien de sa maison, poursuivit le brancardier. Heureusement pour lui, il est descendu tirer un peu de vin après la fermeture de sa taverne… Les voûtes de la cave l'ont protégé et un passant l'a entendu gémir sous ses tonneaux…

– Et… et les pensionnaires de l'auberge ?

Le porteur haussa les épaules en signe d'ignorance.

– J'espère qu'il n'y en avait pas ! Sinon, à l'heure actuelle, ils sont certainement morts…

Sous le choc, la princesse tomba à genoux à côté de la civière. Elle tendit la main vers l'épaule de l'aubergiste.

– Et Malik, l'étudiant qui logeait chez vous ?

Les yeux du pauvre homme se perdirent dans le vague :

– Il était… il était dans sa chambre… je crois…

Anéantie par cette nouvelle, Zélina resta pétrifiée. Troublés, les brancardiers lui demandèrent si elle avait besoin d'aide. Elle trouva à peine la force de secouer la tête :

– Non… non… merci…

Les porteurs de civière disparurent à l'intérieur de l'hôpital. Ambre en sortit, à la recherche de sa maîtresse, une couverture sous le bras. Baraka trottait sur ses talons.

– Que se passe-t-il, mademoiselle ? s'exclama-t-elle en trouvant sa maîtresse effondrée par terre.

La princesse lui lança un regard désespéré. D'une voix brisée, elle fit part à sa demoiselle de compagnie de l'effroyable nouvelle qu'elle venait d'apprendre. Accablée, Ambre posa la couverture sur les épaules de sa maîtresse.

– Rentrons, mademoiselle…

Mais Zélina se dressa sur ses jambes. Ses yeux d'émeraude étaient fiévreux.

– Non… Je veux aller au *Pichet d'argent* !

Belzékor passe à l'action

La pauvre Ambre secoua la tête, bien décidée à ramener sa maîtresse à la raison. Elle mit toute la conviction dont elle était capable pour dissuader Zélina de se rendre sur les ruines du *Pichet d'argent* :

– Vous savez bien que cela ne peut que vous faire du mal ! Il n'y a plus rien à voir, là-bas…

La princesse ne voulait rien entendre :

– Il FAUT que j'y aille ! Tu comprends, Ambre ? Il le FAUT !

Ambre fit la moue. Quelle tête de mule… Elle détestait la voir ainsi butée.

– Et tu dois me guider, Ambre, car toi seule sais où se trouve le *Pichet d'argent*.

À bout d'arguments, Ambre céda à contrecœur devant l'insistance de Zélina. Sans enthousiasme, elle prit la main de la princesse et l'entraîna dans les rues dévastées d'Obéron. Baraka gambadait joyeusement autour des deux jeunes filles, indiffé-

rent à l'atmosphère pesante qui régnait sur la ville. Se faufilant entre les gravats, le funeste Belzékor suivait le petit groupe à distance. Le démon s'essouffla vite, peu habitué à ramper par terre sur des pattes aussi ridicules.

— Bon, ça commence à bien faire…, maugréa-t-il. J'espère que l'on va vite en finir ! Je commence à avoir faim, moi !

L'occasion qu'attendait le gros rat ne tarda pas

à se présenter. Prise d'un soudain vertige, la princesse, épuisée, éprouva le besoin de s'appuyer quelques minutes à l'abri de la porte des Marchands, miraculeusement épargnée par la colère des profondeurs.

– Mademoiselle ?

– Continue, je te suis…, fit Zélina en reprenant son souffle.

Tout excité, Belzékor sauta de pavé en pavé jusqu'à une étroite plate-forme de granit et se hissa sur ses pattes de derrière. Enfin, il allait se débarrasser de cette petite prétentieuse… Le démon déplia un index vengeur vers la princesse et savoura un à un les mots rocailleux qui s'échappaient de sa gueule repoussante :

– Par le grand Koor, le Maître des Démons,

Que se déchaussent les pierres de cette porte !

Zélina entendit un craquement sourd au-dessus de sa tête. Saisie d'effroi, elle regarda, incrédule, l'énorme voûte s'effondrer sur elle. À la même seconde, une boule de poils heurta

violemment sa poitrine et la projeta loin de l'avalanche de poutres et de pierres. La princesse trébucha et s'écroula dans la poussière.

Sonnée, Zélina reprit ses esprits sous les coups de langue énergiques de Baraka. Comprenant ce qui venait de se passer, elle caressa affectueusement la tête du chien héroïque :

– Merci, petit fripon… Sans toi, je serais morte maintenant.

— Ah, non ! pesta Belzékor sur son piédestal en se prenant la tête entre ses pattes. Cet idiot de cabot a tout fait rater…

Le démon cracha de rage vers la princesse :

— Quant à vous, petite péronnelle, sachez que je n'ai pas dit mon dernier mot !

Ambre, affolée, se précipita vers sa maîtresse. Mais Zélina se relevait déjà en époussetant sa robe.

— Rassure-toi, souffla-t-elle, nous sommes tous les deux sains et saufs…

Puis elle ajouta, plus décidée que jamais :

— Emmène-moi vite au *Pichet d'argent*, nous avons perdu assez de temps comme ça !

Une idée démoniaque

– *V*enez, mademoiselle, supplia Ambre.

À l'endroit où se dressait jadis fièrement l'auberge du *Pichet d'argent*, il ne restait plus qu'un tas informe de briques et de poutres brisées. La gorge nouée, Zélina escalada les ruines. Elle s'accroupit et dégagea un objet sombre qui dépassait des gravats. Elle reconnut le béret qu'elle avait offert à Malik quelques mois auparavant à Londérys, lors du mariage du prince Clarence et de la belle

Camille. Zélina serra le velours cramoisi contre son cœur et elle fut envahie par un torrent confus de tristesse mêlée de colère. Elle brandit son poing vers le ciel.

— Qu'est-ce que vous me voulez ? hurla-t-elle aux étoiles, les yeux pleins de larmes. Pourquoi me l'avez-vous pris ?

Ambre rejoignit sa maîtresse.

– Venez, mademoiselle, vous ne devez pas rester ici…, murmura-t-elle à sa princesse en la tirant
doucement par l'épaule.

– Je… Tu as raison…, sanglota Zélina.

Les deux jeunes filles remontèrent la Grand-
Rue sans dire un mot. Elles ne virent pas Belzékor,
qui tentait de reprendre haleine, suffoquant et
suant à force de galoper derrière elles. Le démon
se jurait que, la prochaine fois, il choisirait de se
métamorphoser en un autre animal, moins court
sur pattes… Soudain, il s'arrêta : non, il n'y aurait
pas de prochaine fois ! Le machiavélique nabot
venait d'avoir une idée diabolique !

– Cette petite me manquera beaucoup…, se
lamenta, faussement affligé, le gros rat avant de
partir d'un éclat de rire sardonique et de plonger
la tête la première dans les égouts.

Installé sur un rocher du large souterrain
malodorant, Belzékor se concentra. Il ferma les

yeux. Serait-il capable de se souvenir de cette sata-
née formule ? Enfin, ses bras s'agitèrent dans le
vide de façon théâtrale et un borborygme guttural
s'échappa de sa bouche :

> *Que bouillonne le flot noir et croupissant,*
> *Que jaillissent avec rage dans la rue*
> *Les entrailles nauséabondes de cette ville*
> *Et qu'elles balaient tout sur leur passage !*

Aussitôt, les eaux putrides s'animèrent aux pieds de Belzékor. Le flux répugnant gonfla jusqu'à former un mur liquide et sombre, qui fit voler en éclats la voûte du grand collecteur d'égout. La vague monstrueuse happa l'âme damnée de la reine Mandragone, puis elle déferla dans la rue.

Percevant un grondement sourd derrière elle, Ambre tourna la tête. Lorsqu'elle découvrit l'immense vague qui fonçait sur elles, elle se figea, épouvantée :

– Misère !

Le cri tira Zélina de sa torpeur. Le souffle qui précédait la vague géante lui arracha le béret des mains. Avisant une longue planche de bois qui reposait sur les pavés, elle cria :

– Vite ! Saute là-dessus avec moi !

La coulée fétide

fondit sur les deux jeunes filles et souleva brutale-
ment la planche.

– Agrippe-toi à moi, Ambre, et plie les
genoux…

Le frêle radeau de fortune glissa sur la crête de
la vague. D'un geste désespéré, la princesse plongea sa main dans la fange, attrapa Baraka par la
queue et l'arracha des flots. Entre ses crocs, elle
reconnut le béret de Malik !

– Brave toutou ! Tu as bien compris que ce cha-
peau était important pour moi ! chuchota Zélina à
son oreille en le serrant contre elle.

Tant bien que mal, les deux jeunes filles et le
petit chien réussirent à se maintenir au sommet de
la vague. Pendant de longues secondes, elles déva-
lèrent ainsi la rue, chevauchant la montagne d'eau.
Puis, petit à petit, le torrent s'épuisa, et la planche
s'échoua doucement sur la chaussée. Ambre et
Zélina reprirent pied sur la terre ferme à l'entrée
de la place de l'hôtel de ville. La princesse déposa

Baraka sur le trottoir et se jeta dans les bras de son
amie :

– Nous l'avons échappé belle… Je crois que je
n'ai jamais eu aussi peur de ma vie !

Le flot se retira dans les profondeurs de la ville,
aspirant avec lui le misérable Belzékor.

Un flair infaillible

La truffe pointée vers le ciel, Baraka huma l'air. Le petit chien s'immobilisa un instant ; puis il s'élança, la queue frétillante, vers les ruines de l'hôtel de ville. Là, le courageux animal se campa sur le tas de pierres, lâcha le béret et se mit à japper furieusement pour attirer l'attention des deux jeunes filles.

– Pourquoi Baraka aboie-t-il comme ça ? s'inquiéta Ambre.

Zélina fixa attentivement le chiot qui s'agitait sur les décombres du beffroi. Le beffroi ? Le cœur de la princesse s'embrasa. Et si son bel étudiant était monté, en cette nuit tragique, observer les étoiles depuis la terrasse où elle l'avait, un soir, croisé pour la première fois et aimé pour toujours ? Mue par un fol espoir, la jeune fille gravit le monticule de pierres en retenant son souffle. À son sommet, elle aperçut l'extrémité d'une belle lunette de cuivre, qu'elle reconnut tout de suite…

– Ambre, viens m'aider !

La demoiselle de compagnie soupira, mais elle s'exécuta. Zélina avait retrouvé des couleurs :

– Il est là ! Et il est vivant, je le sens… je le sais !

Ambre fit la moue, toutefois, la princesse n'en démordit pas :

– S'il était là-haut, il n'a pas été écrasé par la masse du beffroi. Et puis, regarde, la lunette est intacte !

– Oui, mais la lunette est en cuivre, ce qui n'est pas le cas de Malik…

Bien évidemment, Ambre ne croyait pas une seconde qu'il pût y avoir quelqu'un de vivant sous cet amas de cailloux. Mais lorsqu'elle vit sa maîtresse écarter frénétiquement les pierres les unes après les autres, elle se sentit obligée de lui venir en aide. Pendant une demi-heure, les deux amies s'écorchèrent les mains à fouiller les décombres. Alors que Zélina semblait se décourager, un visage pâle et poussiéreux émergea des gravats.

– MALIK !

Mais Malik ne répondit pas. Non… Ce n'était pas possible…

Les deux amies dégagèrent péniblement le corps inerte de son tombeau de pierre et Zélina posa la tête de l'infortuné astronome sur ses genoux. De grosses larmes amères inondèrent bientôt son visage gris de poussière.

– Malik, vous n'avez pas le droit de mourir et de me laisser seule !

Les narines du beau prince frémirent… Revigoré par le délicieux parfum de jacinthe et de miel, le jeune homme ouvrit les yeux.

– Ne vous… ne vous désolez pas, Zélina… Je… Je suis toujours là !

Miracle ! Malik était vivant ! Éperdue de bonheur, Zélina couvrit son amoureux de tendres baisers. Le blessé grimaça :

– Ouille… Aïe…

Même s'il avait survécu à la catastrophe, le prince de Loftburg était quand même gravement commotionné, et il avait les deux jambes brisées. Son pauvre corps semblait cassé de partout, et son souffle était si fragile… Zélina lança un regard

implorant à Ambre. Sans un mot, la demoiselle de compagnie sauta en bas du tas de pierres et courut chercher du secours.

La princesse se pencha sur le visage de son Malik bien-aimé :

– Je vais vous sauver, mon amour. Je vais vous sauver…

Un bouquet magnifique

Les jours passèrent, et le soleil revint sur Obéron…

Un beau matin, la princesse et ses amies infirmières décidèrent de faire sortir leurs protégés afin qu'ils profitent du bon air et des magnifiques jonquilles qui tapissaient le champ de foire. Colin avait définitivement adopté Baraka, et les deux coquins étaient devenus inséparables.

Zélina aida Malik à faire quelques pas.

– Regardez-les ! Bientôt, vous pourrez à nouveau gambader comme eux, murmura-t-elle affectueusement à l'oreille de l'élu de son cœur.

– Merci, mon amour ! Tout ça, c'est à vous que je le dois. Sans votre entêtement à me chercher, je serais mort, c'est certain…

La princesse fronça les sourcils et posa son doigt sur les lèvres de Malik :

– Tss, tss, tss… Je vous interdis de dire ce genre de choses. Vous êtes là, et c'est l'essentiel ! Tout le reste, c'est du passé… Et si vous n'aviez pas vous-même décidé de sortir ce soir-là alors que l'auber-

giste descendait dans sa cave…

— Je n'ose pas y penser !

Le visage du prince se crispa. Une violente douleur venait de se réveiller dans sa jambe.

— Il faudra un peu de temps pour que tout cela se remette en place, gémit-il.

— Appuyez-vous sur mon épaule, mon chéri…

Je vais vous aider à vous asseoir.

Malik se cala dans un fauteuil. Zélina remonta avec délicatesse la couverture sur son torse et déposa discrètement un baiser au coin de ses lèvres. Malik pencha la tête :

– Tiens, je crois que nous avons de la visite…

Zélina se retourna prestement et vit son père

entrer sur le champ de foire en grande compagnie. Il était escorté de la reine, du prince Marcel et d'une délégation de villageois. Tout ce monde semblait très excité, à l'exception de monsieur Belzékor, dont la mine était maussade et le crâne entouré d'un volumineux pansement… Le roi Igor s'approcha de sa fille avec un large sourire :

– Mon enfant… Ce matin, monsieur le bourg-mestre d'Obéron est venu me voir pour me demander de…

Igor marqua une pause, et la foule retint son souffle :

– Et puis, non, je vais le laisser le dire lui-même !

Un petit monsieur bedonnant et timide avec des besicles sur le nez s'avança alors vers la princesse et s'inclina devant elle en éclaircissant sa voix :

– Voilà, votre Altesse… Je voulais vous remercier, au nom de tous les habitants d'Obéron, pour tout ce que vous avez fait pour nous !

La princesse rougit jusqu'aux oreilles :

– Mes chers Obéronnais, je suis très touchée.

Mais, vous savez, je n'ai fait que mon devoir !

Madame Fougasse s'approcha à son tour avec un magnifique bouquet de fleurs des champs.

– Aujourd'hui, nous n'avons plus grand-chose, et c'est tout ce que nous pouvons vous offrir. Mais sachez bien que nous le faisons avec tout notre cœur !

De grosses larmes de joie coulèrent sur les joues de Zélina.

– Merci… Merci… C'est le plus beau cadeau que l'on pouvait me faire !

– C'est que, Majesté… nous sommes très fiers de vous avoir comme princesse !

Les vivats fusèrent de la foule. Très émue, Zélina eut du mal à trouver ses mots. Les applaudissements de Malik lui redonnèrent du courage.

– Moi aussi, je suis très fière de vous !

La petite princesse saisit alors la main de son père et l'attira vers elle. Elle releva crânement la tête.

– Aujourd'hui, nous pansons nos plaies. Nous devons tous reprendre des forces. Mais, dès

demain, il va falloir nous retrousser les manches et reconstruire Obéron. Profitons-en pour faire de notre nouvelle capitale une ville plus belle, plus accueillante et plus juste…

Les acclamations redoublèrent d'intensité. Igor regarda sa fille avec admiration. Elle avait bien grandi, sa petite princesse… Zélina respira avec bonheur le parfum délicieux de son magnifique bouquet.

– Et je m'y engage : je serai à vos côtés, et nous ferons tous ensemble refleurir notre ville !

Dans la même collection

Couleurs : Franck Gureghian. Illustrations 3D : Mathieu Roussel.

© Bayard Éditions Jeunesse, 2004
3, rue Bayard, 75008 Paris
Princesse Zélina est une marque déposée par Bayard.

Zélina t'attend dans le magazine Astrapi

La princesse te confie tous ses secrets !

Astrapi le magazine des 7-11 ans.

Astrapi est en vente tous les 15 jours
chez ton marchand de journaux,
par abonnement au 0825 825 830 (0.15€/min)
ou sur internet www.bayardweb.com